C000259296

L'Histoire de France en BD

Livre 2

Du Moyen Âge à la Révolution

Texte
Dominique Joly
Dessins
Bruno Heitz

casterman

www.casterman.com

ISBN 978-2-203-03575-1

Dépôt légal : mars 2011 D. 2011/0053/258
N° d'édition : L.10EJDN000824.C005
Déposé au ministère de la Justice, Paris
(loi n°49.956 du 16 juillet 1949 sur les publications destinées à la jeunesse).

Achevé d'imprimer en février 2013, en France par Pollina - L63568.

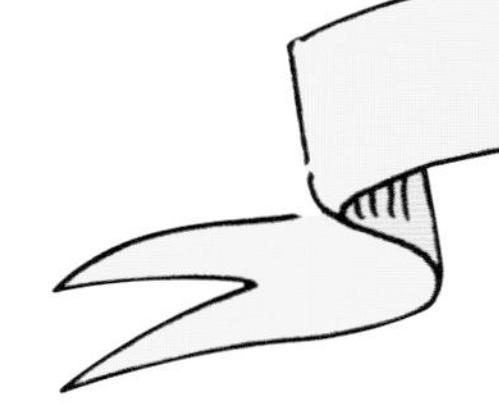

SOMMAIRE

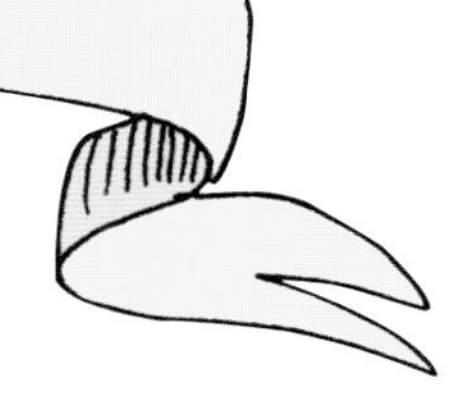

LE MOYEN ÂGE

987
Élection de Hugues Capet. Début de la dynastie des Capétiens.

1096-1099
La première croisade s'achève avec la prise de Jérusalem.

1163
À Paris, début de la construction de la cathédrale Notre-Dame.

1214 (27 juillet)
Victoire du roi de France Philippe Auguste à la bataille de Bouvines.

1270
Mort de Louis IX (Saint Louis) devant Tunis.

1285-1314
Règne de Philippe IV le Bel.

1347-1352
La peste noire ravage l'Europe occidentale.

1415 (25 octobre)
Guerre de Cent Ans : déroute des chevaliers français à la bataille d'Azincourt.

1431 (30 mai)
Jeanne d'Arc est brûlée vive à Rouen.

1475
Louis XI signe avec le roi d'Angleterre le traité
qui met fin à la guerre de Cent Ans.

Hum, soyez prudents, les jumeaux!
T'inquiète, Papi.

Voilà le plancher de notre cabane!
On va passer de super vacances!

Quelle vue!

Tu vois le clocher?
C'est celui de l'église ROMANE de Villevieille!

Et plus loin, là-bas, ce château, c'est...
Un château fort!

!!!
CRAC
?

Heureusement que tu étais là, Papi !

Je crois que votre plancher est… un peu bancal.

Avant de continuer votre construction, je vous propose d'aller en voir de plus solides. Au Moyen Âge, ils savaient bâtir !

Je change les bougies de la voiture et nous y allons.
Mais vous souvenez-vous du roi que nous avons laissé sur le trône hier soir ?
Heu... Le Capétien ?
Non... Capet. Hugues Capet !

OUI ! EN 987, C'EST LE NOUVEAU ROI DES FRANCS QUE LES NOBLES VIENNENT D'ÉLIRE.

TRÈS HABILE, HUGUES CAPET, SITÔT ÉLU, SE FAIT SACRER PAR L'ÉGLISE LORS D'UNE GRANDE CÉRÉMONIE.

LE SACRE LUI OFFRE UN IMMENSE PRESTIGE.
C'est l'élu de Dieu.

POUR QUE LA COURONNE RESTE DANS LA FAMILLE, IL FAIT SACRER SON FILS ÂGÉ DE QUINZE ANS.
Viens te faire sacrer, Robert. Ainsi les nobles seront obligés de te considérer comme mon successeur !

HUGUES CAPET EST HABILE, MAIS IL EST FAIBLE.

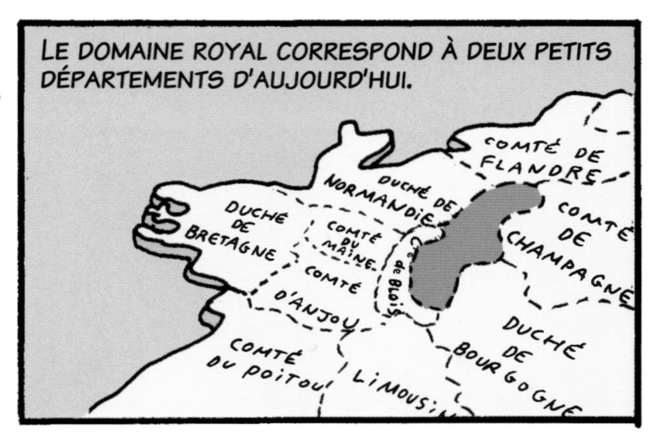
LE DOMAINE ROYAL CORRESPOND À DEUX PETITS DÉPARTEMENTS D'AUJOURD'HUI.
COMTÉ DE FLANDRE
DUCHÉ DE NORMANDIE
DUCHÉ DE BRETAGNE
COMTÉ DU MAINE
COMTÉ DE CHAMPAGNE
de Blois
COMTÉ D'ANJOU
DUCHÉ DE BOURGOGNE
COMTÉ DU POITOU
LIMOUSIN

SUR SON PROPRE TERRITOIRE, LE ROI DOIT GUERROYER POUR IMPOSER SON AUTORITÉ AUX SEIGNEURS VOISINS. CEUX-CI POSSÈDENT PARFOIS D'IMMENSES DOMAINES.
NORMAN
FLANDR
CHAMPAGNE

ILS SONT DES SUZERAINS. DES VASSAUX SONT SOUS LEUR PROTECTION. C'EST LA FÉODALITÉ.
Le mois prochain, j'ai la cérémonie de l'hommage à mon seigneur...
Tu sais comment te comporter?

Tu te présenteras sans armes et tu t'agenouilleras devant ton seigneur.

Tu toucheras d'une main un objet sacré, et tu lèveras l'autre pour prêter serment.

Le seigneur te donnera une motte de terre, ou la clef d'un château, symbole de la remise du fief.
Je préfère la clef!

VOICI LA HIÉRARCHIE DES SEIGNEURS :
En bas, ceux qui n'ont pas de vassaux.
Au milieu, ceux qui en ont quelques-uns.
En haut, les seigneurs qui en ont beaucoup.

AU SOMMET, LE ROI N'EST LE VASSAL DE PERSONNE, MAIS IL N'EST PAS TRÈS PUISSANT.
Je te trouve bien faible, petit Capet!

La société est formée de trois groupes. Il y a les hommes d'Église qui prient...

Les gens de guerre qui combattent...

Et les autres qui travaillent.

En cette période d'insécurité, le pouvoir appartient aux guerriers.

Bien armés, ils imposent leur force et offrent leur protection.

Les chevaliers doivent se distinguer par leur générosité, leur courage et leur loyauté.
C'est l'idéal chevaleresque !

Pour afficher leur pouvoir et résister aux attaques, les seigneurs font construire des châteaux forts.

Les premiers, vers l'an 950, sont de simples tours en bois.

À la fin du Xe siècle, des forteresses en pierre s'élèvent.

AU XIIe SIÈCLE, LES DONJONS DEVIENNENT CIRCULAIRES.
C'est dans le donjon que vivent le seigneur et sa famille.
La haute cour
Du chemin de ronde, les soldats surveillent les environs.
Les remparts sont découpés en créneaux (parties creuses) et en merlons (parties pleines).
La basse cour, avec la forge, l'écurie.
La chapelle
La cuisine
Salle de garde
Chambre commune
Chambre du seigneur et cabinet
Salle à manger du seigneur
Réserve de nourriture, bois, vin... souterrain
À l'extérieur, une palissade de bois entoure les fossés, (les douves) que l'on franchit par le pont-levis.

Le seigneur médiéval loge et nourrit beaucoup de monde dans sa vaste demeure. Tous ces gens forment sa « mesnie », ou maisonnée.
Je vous présente ma mesnie : mon épouse, mes enfants, mes neveux, mes cousins et mon oncle...
...le chapelain, qui s'occupe des offices religieux...
... mon forgeron et mon excellent boulanger.
Et ces chevaliers... Ils sont aussi de la maison?
Non. Eux ne sont là que pour nous protéger quelques mois.
Je vous laisse, mon ami. Je dois diriger la lessive, veiller aux feux, voir l'atelier de couture et préparer le départ de notre fils.
Oui, ma mie.

Ah, oui! Les chevaliers! J'aurais aimé être un chevalier!
Pas facile!
Vers l'âge de 10 ans, le jeune noble part apprendre le métier des armes chez un parent.

* *On les appelle trouvères au nord de la Loire et troubadours dans le sud de la France.*

Un loyer en argent?

Oui: je paye le cens.

Le loyer proportionnel n'est pas plus avantageux?

Je dois aller au moulin !
Ça aussi, tu le payes !
?

On est tondus comme des moutons !
Allons ! Viens boire un verre à la maison. Même si le pressoir est toujours aussi cher, j'ai encore un tonneau d'avance !

Vois, ma huche est vide...
Il te reste de quoi faire quelques galettes de céréales ?

Ah, si seulement on pouvait chasser !
Seuls les seigneurs ont ce droit.

Ton jardin est beau...
Oh juste quelques légumes du chanvre et du lin pour tisser. Heureusement, j'ai des ruches, et ma femme va cueillir des fruits dans les bois...

Je n'irai pas aujourd'hui : la petite est malade.
Tu ne viendras donc pas à la fête ce soir ?

Non. Mais toi, vas-y. Il paraît que le seigneur y fera une distribution de nourriture...

LES HOMMES D'ÉGLISE SONT MOINS NOMBREUX QUE LES GUERRIERS OU LES PAYSANS, MAIS LEUR RÔLE EST ESSENTIEL.

APPELÉS AUSSI CLERCS, ILS PRIENT, VIENNENT EN AIDE AUX MALADES ET ILS ENSEIGNENT.

L'ÉGLISE EST DIRIGÉE PAR LE PAPE À ROME. IL NOMME LES ÉVÊQUES DANS CHAQUE RÉGION.
LES ÉVÊQUES CONTRÔLENT LES PAROISSES DIRIGÉES PAR LES CURÉS.
LES MOINES VIVENT DANS DES MONASTÈRES DIRIGÉS PAR DES ABBÉS.
L'ÉGLISE TIRE SES REVENUS DE SES DOMAINES, DE L'IMPÔT (LA DÎME), MAIS AUSSI DES DONS.
Je lègue tous mes biens à l'Église...
C'est bien mon fils.

L'ÉGLISE SECOURT LES MALHEUREUX. ELLE ACCUEILLE LES ENFANTS ABANDONNÉS À L'HÔTEL-DIEU, ANCÊTRE DES HÔPITAUX.

SUR SES TERRES OU DANS SES BÂTIMENTS, ELLE OFFRE SA PROTECTION AUX FUGITIFS.
Je ne vous dirai pas pas s'il est ici. Et même s'il se cachait chez nous, nous disposons du droit d'asile.

À PARTIR DU XIe SIÈCLE, LES DONS PERMETTENT DE CONSTRUIRE DE NOMBREUX ÉDIFICES : DES ÉGLISES ROMANES.
ROMANES OU ROMAINES ?
ROMANES. L'art nouveau roman s'inspire des techniques romaines. C'est du solide ! Ça résiste au feu, les murs sont épais !
La nef est le lieu de rassemblement des fidèles.
Avec le transept, elle forme une croix orientée vers l'est, vers Jérusalem.
Dans le clocher, la cloche mesure le temps et sonne l'heure des offices.
Le chœur est la partie la plus sacrée : c'est là que sont célébrés les offices.
Les contreforts consolident les épaisses murailles.
Les sculptures et les chapiteaux sculptés racontent l'histoire de la Bible pour les fidèles qui ne savent pas lire.
La voûte en pierre, en forme de demi-cercle dite « en plein cintre » est d'abord édifiée sur une charpente provisoire.
À l'arrière du chœur, le déambulatoire et les chapelles rayonnantes.

L'ÉGLISE EST LE LIEU DES CÉRÉMONIES MARQUANT LA VIE DE CHAQUE CROYANT : BAPTÊME...
MARIAGE...
ET FUNÉRAILLES.

À LA MÊME ÉPOQUE, DE NOMBREUX MONASTÈRES ABRITENT DES MILLIERS DE MOINES. ILS Y SUIVENT LA RÈGLE DE SAINT BENOÎT* EN PARTAGEANT LEUR TEMPS ENTRE LA PRIÈRE, L'ÉTUDE ET LE TRAVAIL MANUEL. TOUT CE QUI EST NÉCESSAIRE POUR VIVRE EST PRODUIT SUR PLACE.

HUIT FOIS PAR JOUR, LES MOINES SE RENDENT AUX OFFICES OÙ ILS PRIENT, CHANTENT ET LISENT LA BIBLE.

L'ABBÉ QUI DIRIGE LE MONASTÈRE RASSEMBLE CHAQUE JOUR LES MOINES POUR RAPPELER LA RÈGLE.

LES MOINES CULTIVENT LES TERRES, S'OCCUPENT DE LA VIGNE ET DES ANIMAUX.

DANS LE SCRIPTORIUM, LES MOINES RECOPIENT LES TEXTES SAINTS OU CEUX DES GRANDS PENSEURS.

AINSI, LE SAVOIR EST SAUVEGARDÉ ET TRANSMIS.

Et quelles enluminures!

Frère Thomas, un pèlerin est à la porterie. Il demande l'asile.

* Benoît de Nursie (v. 480-547) est le fondateur de l'ordre des moines bénédictins.

La route pour St-Martin est encore longue...
J'y vais pour me racheter de ma conduite passée.

Évitez le petit bois du grand chêne : des pillards y guettent les voyageurs.

!

N'aie pas peur. Nous sommes des pèlerins comme toi.
Nous allons à Saint-Sernin.
Faisons route ensemble.

Saint-Jacques de Compostelle
Saint-Sernin
Saint-Martin
Nos routes se séparent ici.
Au revoir, Seigneur.
Appelle-moi frère. Je suis un pèlerin comme toi.

Enfin ! L'église où reposent les saintes reliques !
Ça fait deux ans que je suis parti de chez moi !
Toi aussi, les loups t'ont attaqué ?

Chacun son tour.
Poussez pas !
J'étais là avant toi !
Du calme !

Tu ne devais pas nous emmener en ville?
En ville?
C'est un grand mot.

Ici, il s'agit plutôt d'un bourg. Au Moyen Âge, les habitants du bourg sont appelés des...
Des bourgeois?
BLEEM

OUI, DES BOURGEOIS. DIRIGÉS PAR UN SEIGNEUR, UN ABBÉ OU UN ROI.
Halte! Péage!

Encore? J'ai déjà payé au pont du Diable!
Ah oui, mais ça, c'est pour sire Troussecote, le seigneur d'à côté. Ici, c'est pour Adhémar, le maître de la ville.

Quelle vie! Être obligé de faire le guet pour le seigneur sur ces remparts!
Et en plus, moi, en tant que commerçant, je lui paye des taxes!

Il paraît qu'à St Jean, ils ont cassé les remparts.
Cassé les remparts?

Mais ils en ont reconstruit d'autres. Plus loin, pour englober les nouveaux quartiers: des maisons, des jardins et des vignes.
Allons voir ça! Ici, nous sommes trop à l'étroit.

À Laon, les bourgeois se sont révoltés contre leur seigneur.
Mais ici, ils ont acheté leur liberté.

Ils ont constitué une commune, et élu leurs représentants.
Justement. Ce ne serait pas leur échevin, au coin de la rue des bouchers?

Ça a bien changé ici.
Oui, ils ont dû tout rebâtir après le terrible incendie.
Joli drap!
Tissé et teint dans le quartier!
Il est beau mon poisson!
Combien, tes chandelles?
Mes balais! Mes paniers!
RUE DES SAVETIE

Voilà un maître artisan chez qui je placerais bien mon fils comme compagnon.

Il faudra d'abord qu'il soit un bon apprenti!
Certes!

CE PROCÉDÉ REPORTE LE POIDS DE LA VOÛTE SUR LES QUATRE PILIERS.

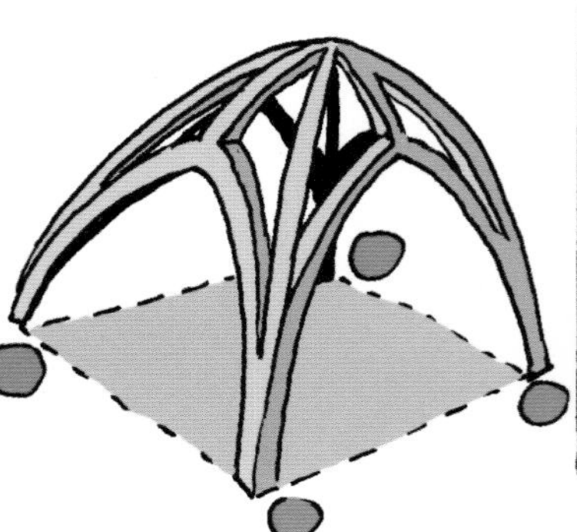

Cette solidité permet de construire plus élancé...

Et d'avoir des fenêtres plus grandes. Quels vitraux!

* *Le terme « gothique » se réfère aux Goths, peuples médiévaux d'origine germanique.*

Quel artiste, ce maître verrier !
Avec du plomb et du verre, il raconte la Bible !

Tout comme les sculptures du portail.
Elles font moins peur que celles de l'église romane !
Laissez passer !

SUR LE CHANTIER S'ACTIVENT DES ARTISANS SPÉCIALISÉS : SCULPTEURS, TAILLEURS DE PIERRE, FORGERONS, CHARPENTIERS. ILS SONT LIBRES ET INDÉPENDANTS, DISCUTENT LEURS SALAIRES ET PEUVENT MÊME FAIRE GRÈVE.
Les charpentiers travaillent aux échafaudages, aux engins de levage et aux toitures.
Les forgerons fournissent l'outillage.
Le maître d'œuvre dirige le chantier.
Les engins de levage permettent de monter de lourdes charges. La cage à écureuil est actionnée par un homme.
Les tailleurs de pierre découpent la pierre d'après des gabarits.
Les gâcheurs préparent le mortier à base de chaux qui scelle les pierres.
La pierre est extraite des carrières voisines.

* *Les chevaliers sont appelés « croisés » en raison de la croix cousue sur leurs vêtements.*

Après la prise de Jérusalem, quatre États chrétiens sont fondés : les États latins d'Orient. Pour les défendre, un réseau de places fortes est créé aux frontières.
Ah, voici enfin le krak des Chevaliers !
Les hospitaliers vont nous recevoir.
Vois, c'est un templier : il a un manteau blanc et une croix rouge.
C'est vrai : les hospitaliers, eux, ont une croix blanche.
En dépit de l'organisation d'une flotte pour traverser la Méditerranée...
... de la présence de nombreux rois...
Philippe Auguste (roi de France)
Richard Cœur-de-Lion (roi d'Angleterre)
Frédéric Ier Barberousse (empereur germanique)
Louis IX (roi de France)
... les croisades sont un échec. En 1187, Jérusalem est reprise par le sultan Saladin. Ces expéditions sanglantes creusent un fossé entre chrétiens et musulmans, mais elles font découvrir à l'Occident une civilisation brillante et de nombreuses inventions.
Ça a surtout enrichi les ports italiens !
Nous sommes bien sur le chemin du retour ?
Ah, si nous avions la fameuse boussole des Arabes !
Ou l'astrolabe qu'utilisent leurs marins !

C'est grâce aux Arabes que nous comptons avec des chiffres. Au fait, et vous, en calcul, vous êtes bons?
Euh, parlons plutôt d'histoire!
Qui commandait en France à cette époque?
TOUJOURS LES CAPÉTIENS. MAIS CE SONT DES ROIS FAIBLES, GUERROYANT SANS CESSE POUR SE FAIRE OBÉIR DES SEIGNEURS.

ILS IMPOSENT CEPENDANT LEUR AUTORITÉ GRÂCE À LEURS ATOUTS. EN PREMIER LIEU, LA MONARCHIE HÉRÉDITAIRE. QUAND LE ROI MEURT, SON FILS AÎNÉ LUI SUCCÈDE.
Le roi est mort, vive le roi!

DEUXIÈME ATOUT : LE DOMAINE ROYAL EST PETIT MAIS RICHE. DES TERRES FERTILES, DEUX VOIES NAVIGABLES ET DEUX CITÉS PROSPÈRES : PARIS ET ORLÉANS.

LES ROIS CHARGENT LES PRÉVÔTS DE COLLECTER LES IMPÔTS, DE CONVOQUER L'ARMÉE ET DE RENDRE LA JUSTICE.
Vous veillerez à la bonne administration de mon domaine!
IL Y A AUSSI LES CONSEILLERS, HOMMES D'ÉGLISE, CHEVALIERS DE PETITE NOBLESSE QUI FORMENT LA « MAISON DU ROI ».

L'ATOUT PRINCIPAL DES ROIS CAPÉTIENS, C'EST LE SACRE. IL LEUR DONNE UN GRAND PRESTIGE, UNE SORTE DE PUISSANCE SURNATURELLE QUI LES PLACE AU-DESSUS DE TOUT.
REIMS

EN SOUVENIR DE CLOVIS QUI S'EST FAIT BAPTISER LÀ, LE SACRE A LIEU À REIMS.

AVEC UNE AIGUILLE D'OR, L'ARCHEVÊQUE OINT* LE FRONT, LA POITRINE, LES MAINS ET LES ÉPAULES DE LA MÊME HUILE SACRÉE QUE CELLE DU BAPTÊME DE CLOVIS.

JUSQU'EN 1825, LES ROIS DE FRANCE SERONT SACRÉS À REIMS. ENTRE-TEMPS, LES OBJETS DU SACRE SONT DÉPOSÉS À LA BASILIQUE DE SAINT-DENIS.

Ça part pour Saint-Denis.

* *Oindre : appliquer, frotter avec de l'huile.*

Entre 1202 et 1205, il s'en empare (à l'exception de l'Aquitaine) après le siège de Château-Gaillard, construit sur la frontière de Normandie.

* *Des vestiges de « l'enceinte de Philippe Auguste » sont toujours visibles à Paris.*

Louis VIII, c'est Saint Louis?
Non. Celui qu'on appelle Saint Louis, c'est Louis IX, le petit-fils de Philippe Auguste.

À LA MORT DE SON PÈRE (LOUIS VIII), IL N'A QUE 12 ANS. SA MÈRE, BLANCHE DE CASTILLE, EST DÉSIGNÉE COMME RÉGENTE.
Je gouvernerai en attendant que tu sois adulte.
Mais d'abord, viens à Reims te faire sacrer.

LOUIS IX VEUT UN ROYAUME EN PAIX.
Si vous, les Anglais, vous renoncez à la Normandie, au Maine, à l'Anjou et au Poitou, je vous laisse l'Aquitaine.
D'accord, je signe!

IL VEUT AUSSI UN ROYAUME UNIFIÉ. IL INTERDIT LES GUERRES PRIVÉES ENTRE SEIGNEURS.
Que je ne vous y reprenne plus!

LE ROI LIMITE LE DROIT DE CES SEIGNEURS À FABRIQUER LEUR PROPRE MONNAIE. IL IMPOSE LA SIENNE.
Cet écu sera la première monnaie à servir dans tout le royaume!

POUR LE REPRÉSENTER, IL MULTIPLIE LES BAILLIS, DES FONCTIONNAIRES PERMANENTS PAYÉS PAR LE ROI.
Et sous vos ordres, baillis, je veux que se développe une administration surveillée par les inspecteurs royaux!

LOUIS IX POSE LES BASES D'UNE JUSTICE MODERNE.
Avant de le condamner, il faudrait être sûr de sa faute. Y a-t-il des témoins?

Ah oui! Il rendait la justice sous un chêne!
Cette image est restée car il voulait être aussi juste avec les riches qu'avec les pauvres... Mais surtout...

* *Choléra : grave maladie infectieuse, extrêmement contagieuse.*

LOUIS IX RESTE L'UN DES ROIS LES PLUS POPULAIRES DE L'HISTOIRE DE FRANCE. DE 1610 À 1824, TOUS LES ROIS DE FRANCE PORTENT SON NOM !
Comment vas-tu l'appeler?
Louis, bien sûr.

SON RÈGNE CORRESPOND À UNE PÉRIODE FAVORABLE. LE ROYAUME EST EN PAIX, RICHE ET PROSPÈRE.
Belle récolte!

C'est vrai que maintenant, avec un seul grain, j'en obtiens quatre!

Il faut dire que la charrue à roues munie d'un soc de fer retourne mieux la terre.

... et le collier d'épaule permet aux animaux de tirer une charge cinq fois supérieure !
Le moulin, c'est par là ?

Non. Là, c'est la forge où on bat le fer. Le moulin est plus haut sur la rivière.
PLING
PLANG

LA FOIRE DE SAINT-DENIS, PRÈS DE PARIS, MAIS AUSSI CELLES DE CHAMPAGNE À LAGNY, BAR-SUR-AUBE, PROVINS ET TROYES SONT TRÈS ANIMÉES. LES PRÊTEURS ET LES CHANGEURS FACILITENT LES TRANSACTIONS.

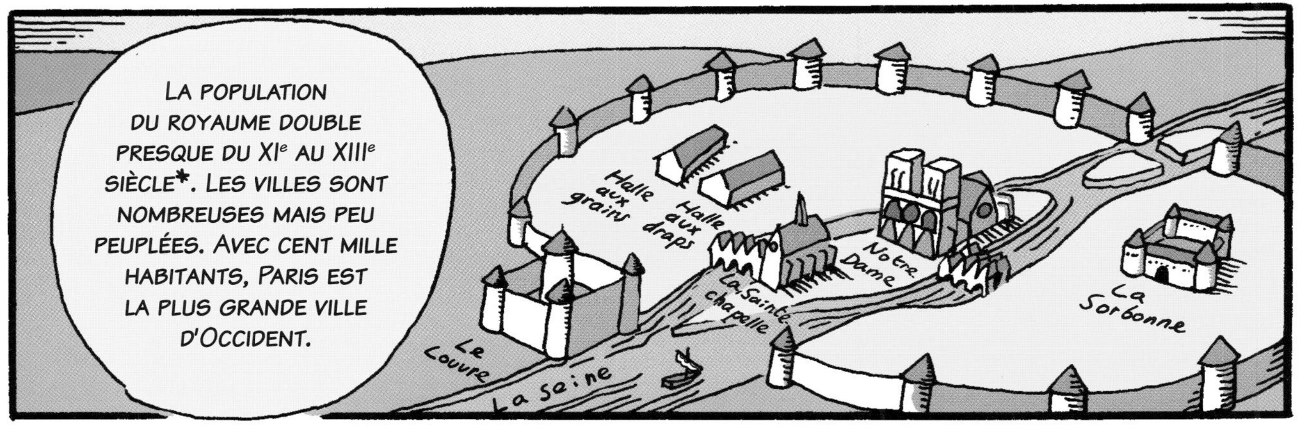

* Environ 15 millions d'habitants dans le royaume vers 1300.

Et en plus, au Moyen Âge, ils ont la guerre de Cent Ans, non?
Oui, mais d'abord, une série de malheurs s'abat sur le pays.
Aïe!

PREMIER MALHEUR : LE RETOUR DES FAMINES. AU DÉBUT DU XIVe SIÈCLE, UN CLIMAT FROID ET HUMIDE PROVOQUE DE MAUVAISES RÉCOLTES.

LES PAUVRES SONT LES PREMIÈRES VICTIMES. LE BLÉ DEVIENT RARE ET CHER.
Je n'ai plus de pain à vendre!

PIRE ENCORE, LA PESTE NOIRE APPARAÎT À MARSEILLE EN 1347. LA TERRIBLE MALADIE EST ARRIVÉE PAR DES BATEAUX EN PROVENANCE D'ASIE.

EN QUELQUES MOIS, LA PESTE GAGNE LA FRANCE ENTIÈRE. DE 1348 À 1352, ELLE TUE 5 MILLIONS DE PERSONNES.

DANS TOUTE L'EUROPE, VILLES ET VILLAGES SE DÉPEUPLENT. LES HABITANTS MEURENT OU S'ENFUIENT. POURQUOI UN TEL FLÉAU ?

IGNORANT TOUT DE CETTE MALADIE, LES GENS CHERCHENT DES RESPONSABLES. ON ACCUSE LES JUIFS D'AVOIR EMPOISONNÉ LES PUITS.
Je vous l'avais bien dit: Dieu nous punit de nos péchés!

POUR FAIRE PÉNITENCE, DES GROUPES DE FLAGELLANTS PARCOURENT LE PAYS EN SE FOUETTANT JUSQU'AU SANG.

LES PRINCIPAUX SEIGNEURS DU ROYAUME DÉCIDENT DE DONNER LA COURONNE À UN COUSIN DU ROI : PHILIPPE DE VALOIS.

Toi, le cousin, tu seras le roi!

On m'appellera donc Philippe VI!

LES PREMIÈRES BATAILLES SONT AUTANT DE DÉSASTRES POUR LA FRANCE. EN 1346, LES CHEVALIERS SONT DÉCIMÉS À CRÉCY PAR LES ARCHERS ET LES FANTASSINS ANGLAIS.

À POITIERS EN 1356, LA DÉFAITE EST PLUS GRAVE : LE ROI JEAN LE BON, FILS DE PHILIPPE VI, EST FAIT PRISONNIER.

* Entrecoupé de trêves, ce conflit va durer 116 ans, de 1337 à 1453.

* Bourguignon : partisan du duc de Bourgogne, oncle du roi.
* Armagnac : partisan de Louis d'Orléans, frère du roi.

À Azincourt, en 1415, les archers anglais massacrent la chevalerie française.

Après Crécy et Poitiers, c'est un troisième désastre ! 7 000 chevaliers, princes ou nobles sont tués.

La France semble perdue. Elle est presque entièrement occupée par les Anglais et ravagée par la guerre civile.
Qu'allons-nous devenir ?

En 1420, à Troyes, les Bourguignons alliés aux Anglais obligent Charles VI à signer un traité où il donne son royaume au roi d'Angleterre et déshérite son fils !
Allez, signe !
Signe là !

En 1422, le roi anglais Henry V et le roi de France Charles VI meurent. Le premier laisse un fils : Henry VI.
Je suis le roi de France et d'Angleterre !

Le second laisse donc un fils déshérité : Charles VII. Installé en Val de Loire, il règne sur quelques provinces qui lui sont restées fidèles.
On m'appelle le roi de Bourges !

Au nord de la Loire, dans les territoires conquis par les Anglais, la haine de l'envahisseur se développe.

Je croyais que Jeanne d'Arc les avait mis dehors ?
Venez, on va la voir !
Jeanne d'Arc ?

Forte de ces succès, Jeanne poursuit sa lutte. Mais en 1430, à Compiègne, elle est faite prisonnière par les Bourguignons, ennemis du roi de France.

La voilà !
Symbole de la libération du royaume, elle est reconnue innocente dès 1456 et déclarée sainte en 1920.
Jeanne d'Arc

Modèle de courage et de fidélité, elle est un des personnages les plus populaires de l'Histoire de France !
Et pourtant, elle n'a pas gagné la guerre ?

NON, MAIS L'ÉLAN DE RECONQUÊTE QU'ELLE A DONNÉ POUSSE CHARLES VII À AGIR. DEPUIS SON SACRE, IL EST EN MESURE DE RESTAURER SON AUTORITÉ.
Ma tâche est immense !

IL CRÉE UNE ARMÉE RÉGULIÈREMENT PAYÉE, RECRUTE DE BONS ARCHERS ET SE DOTE D'UNE ARTILLERIE AVEC DES BOMBARDES.

PUIS IL SE RÉCONCILIE AVEC LES BOURGUIGNONS EN SIGNANT EN 1435 UN TRAITÉ QUI APPORTE LA PAIX, MAIS DONNE NAISSANCE À UN ÉTAT BOURGUIGNON PUISSANT.

CHARLES VII A LES MAINS LIBRES POUR REPOUSSER LES ANGLAIS. IL REMPORTE VICTOIRE SUR VICTOIRE, COMME À CASTILLON EN 1453.

HORMIS CALAIS, LES ANGLAIS NE POSSÈDENT PLUS RIEN DANS LE ROYAUME DE FRANCE.
Bon débarras !

ENTRE-TEMPS, LE ROI A RÉINSTALLÉ SON ADMINISTRATION À PARIS, MÊME S'IL PRÉFÈRE DEMEURER EN TOURAINE OU DANS LE BERRY.

En 1461, Louis XI a 38 ans quand il succède à son père Charles VII.

Ce nouveau roi ne plaît guère. Il est laid, méfiant et superstitieux. On le compare à une araignée. Gros travailleur, il négocie avec ruse et patience.

Louis XI s'entoure de gens modestes qui lui doivent tout, il écarte les seigneurs féodaux qui conseillaient son père.

Le roi a fort à faire pour imposer son autorité aux princes qui sont devenus presque indépendants.
Pour qui te prends-tu?
Pour le duc de Bourgogne.

Il en veut surtout au duc de Bourgogne, à la tête d'un vaste État composé de deux parties.
Au nord, il a la Flandre, la Picardie, l'Artois, le Brabant
Au sud, il a la Bourgogne...

Le duc de Bourgogne, c'est Charles le Téméraire. Il vit entouré d'une cour brillante.
C'est mieux qu'à Paris!

Son but est de réunir les deux parties de son royaume.
J'annexe la Lorraine et ensuite je détrône Louis XI!

En 1472, la guerre éclate. Louis XI sait utiliser la trahison. Il paye les alliés du duc de Bourgogne.

* *Le traité est signé sur un pont sur la Somme, coupé en son milieu par une haute barrière de bois.*

LA RENAISSANCE

1491
Réunion de la Bretagne au royaume de France.

1515
Début du règne de François Ier et de la dynastie des Valois. Bataille de Marignan.

1534
L'explorateur Jacques Cartier débarque au Canada.

1539
L'ordonnance de Villers-Cotterêts impose l'usage du français pour la rédaction des actes officiels.

1562
Début en France des guerres de Religion.

1572 (24 août)
Massacre de la Saint-Barthélemy.

1589 (1er août)
Assassinat du roi Henri III, dernier roi de la dynastie des Valois.

1589-1610
Règne d'Henri IV, premier souverain de la dynastie des Bourbons.

1598
Publication de l'édit de Nantes qui met fin aux guerres de Religion.

1610 (14 mai)
Assassinat d'Henri IV par Ravaillac, un catholique fanatique.

EN 1519, MAGELLAN SE DIRIGE VERS LE SUD DE L'ATLANTIQUE, FRANCHIT UN DÉTROIT ET PÉNÈTRE DANS L'OCÉAN PACIFIQUE. QUAND L'EXPÉDITION REGAGNE L'ESPAGNE, LA PREUVE EST FAITE :

La terre est ronde!

LE DYNAMISME DE CETTE ÉPOQUE EST PORTÉ PAR LA MISE AU POINT DE L'IMPRIMERIE. EN INVENTANT EN 1455 LA PRESSE À IMPRIMER AVEC DES CARACTÈRES MOBILES EN MÉTAL, JOHANNES GUTENBERG REND POSSIBLE LA MULTIPLICATION DES LIVRES.
La diffusion des idées va faire un grand bond en avant !

UN PROFOND RENOUVEAU ARTISTIQUE S'OPÈRE. EN ITALIE, GRÂCE À L'AIDE DE PRINCES ET DES RICHES MARCHANDS, LES PEINTRES INVENTENT UN ART NOUVEAU.
Enfin peindre autre chose que des sujets religieux !

LES ARCHITECTES PENSENT ET CALCULENT LES DIMENSIONS DE LEURS ÉDIFICES AVANT DE LES RÉALISER.
Je vois ce DUOMO comme s'il était bâti !

À FLORENCE, SIENNE, VENISE ET ROME S'ÉLÈVENT DE MAGNIFIQUES PALAIS ENTOURÉS DE JARDINS LUXUEUX.

LÉONARD DE VINCI ET MICHEL-ANGE, TOUS DEUX PEINTRES, SCULPTEURS ET ARCHITECTES, ILLUSTRENT LE MIEUX LE GÉNIE DE L'ART ITALIEN.
Alors, Michelangelo, ça avance, ce plafond ?
Sa Sainteté devrait laisser le maître se concentrer.

Pourquoi souris-tu ainsi, Mona Lisa ?
Je pense à la fascination que nous exerçons sur la France, Leonardo !

Charles VIII, le fils de Louis XI, commence à gouverner en 1491. Il se passionne pour l'Italie.

Allons conquérir ce beau pays !

Ce roi est à la tête d'un royaume vaste et puissant. Cette année-là, son mariage avec Anne de Bretagne lui permet de rattacher la Bretagne au royaume de France !

Dans tes yeux, je vois jusqu'à la mer !

Rêveur, idéaliste, Charles VIII se met en tête de reconquérir le royaume de Naples qui appartenait autrefois à sa famille.

Comme Charles VIII, Louis XII se précipite en Italie et réclame le duché de Milan.
Normal ! Par ma mère, je suis un peu italien !

Malgré quelques victoires, il doit signer un traité où il renonce à ses prétentions sur Naples et Milan.
Bon d'accord, je rentre à la maison.

Pendant son absence, la reine Anne développe les arts et les lettres, s'entoure d'une cour raffinée à Blois ou Loches. Mais elle meurt à 37 ans, ayant eu trois fils morts en bas âge.

Veuf, Louis XII n'a pas de fils pour lui succéder.
Je me meurs sans héritier… Heureusement…

…j'ai marié ma fille Claude de France à son cousin d'Angoulême, François…
François, tu seras donc roi de France.

Âgé de vingt ans, François Ier est un jeune homme de haute taille (1,90 m), gai, séducteur, passionné de poésie, de chasse… et de combats !
Et si vous alliez conquérir l'Italie, sire ?
Pourquoi pas ?

AVEC SES CANONS, IL OUVRE UNE BRÈCHE DANS LES RANGS DES HALLEBARDIERS SUISSES RÉPUTÉS INVINCIBLES.

AU SOIR DE LA BATAILLE, LE ROI VICTORIEUX EST ARMÉ CHEVALIER PAR LE PLUS COURAGEUX DE SES HOMMES : BAYARD.

FRANÇOIS Ier CHERCHE À ORGANISER UNE ALLIANCE CONTRE CE RIVAL. EN 1520, IL INVITE HENRY VIII D'ANGLETERRE PRÈS DE CALAIS, DANS UN CAMPEMENT MAGNIFIQUE QU'ON APPELLE « LE CAMP DU DRAP D'OR ». EN VAIN.

Quel luxe !

Ne nous laissons pas impressionner !

François Ier et Charles Quint s'affrontent en Italie. Mais à Pavie, en 1525, le roi de France est battu et fait prisonnier. Pour sa libération, il doit laisser ses deux fils en otages.

Mais cette rivalité finit par s'apaiser. Veuf, François Ier épouse la sœur de Charles Quint, Éléonore d'Autriche.

François Ier cherche toujours des alliés : le Turc Soliman le Magnifique et des princes allemands proposent leur aide. Les guerres d'Italie reprennent !

Les ambitions du roi de France ne se limitent pas à l'Europe. Il charge Jacques Cartier d'explorer une nouvelle route maritime.

En 1534, le navigateur explore l'estuaire du Saint-Laurent et débarque au Canada.

L'année suivante, il remonte le grand fleuve jusqu'aux villages de Stadacona (ville actuelle de Québec) et Hochelaga (Montréal).

Stadacona
Canada
St Laurent
Hochelaga
Canada
Terre Neuve

Il croit avoir trouvé une nouvelle route vers l'Asie, mais il se trompe. Cependant, il vient de donner à la France ses premières terres lointaines.

François Ier est considéré comme le premier monarque absolu : le roi qui dirige seul et impose sa loi.
Car tel est notre bon plaisir

Il se fait appeler « Votre Majesté ».
Sire…
Appelez-moi « Votre Majesté ».
Certes… Euh… Votre Majesté est bien bonne de me le rappeler.

Il étend son contrôle sur le royaume et met en place une administration royale.
Je veux faire de la France un État puissant et moderne.
Bien Si… Euh… Votre Majesté.

Par l'ordonnance de Villers-Cotterêts de 1539, il décrète que tous les actes officiels doivent être rédigés en français.
C'est ma langue. Abandonnez le latin !
Oui… Sir… Oui, Votre Majesté.

La même ordonnance oblige les prêtres à tenir des registres où sont notés les baptêmes, les mariages et les enterrements. Ce sont les ancêtres des registres d'état civil.
Il est né quand exactement ?
Deux jours après le mariage de ma sœur…
La veille de la mort de mon père.

Le roi n'accepte aucune opposition. Il confisque les terres du duc de Bourbon qui a tenté de s'allier avec Charles Quint.
Duc de Bourbon, vous avez osé !
Il contrôle aussi l'Église. Par le concordat de Bologne (1516), le pape reconnaît au roi le droit de nommer les archevêques, les évêques…
Et même les abbés du royaume !
D'accord, Votre Majesté.

François Ier réunit autour de lui une cour élégante et raffinée. Ainsi, il peut contrôler la noblesse qui, en échange de titres et de privilèges, obéit sans discuter.
Comment? Vous n'êtes que Comte? Que diriez-vous de devenir Duc?
Votre Majesté me comble.

La cour compte plusieurs milliers de personnes.
Je suis conseiller.
Moi, serviteur.
Moi, fonctionnaire.
Moi, je suis membre de la famille!
Moi, je suis courtisan, choisi par le bon plaisir du Roi!

La cour est nomade. Elle se déplace de château en château et suit le roi à travers le royaume.

Le roi doit se montrer, écouter, recevoir des suppliques.

Le roi a la passion de la chasse, mais il aime aussi le jeu de paume ou les tournois organisés pour les grandes occasions.

Le soir, après le souper, place à la musique et à la danse! François Ier est un danseur infatigable. On dit qu'il épuise ses cavalières!

Ébloui par l'Italie, François Ier veut s'imposer comme le Prince de la Renaissance. Il demande à sa cour un grand raffinement.
J'exige une grande politesse !

Parlez, riez et plaisantez PO-LI-MENT ! Brillez en société sans avoir l'air de faire des efforts !
Hum... Facile à dire !

À table, les gens de cour doivent se comporter proprement. On emploie des cure-dents et des serviettes de table. Mais on mange toujours à la cuillère et avec les doigts.
Fameux, ce faisan, Votre Majesté !
Ne parlez pas la bouche pleine !

Les vêtements des hommes de cour deviennent somptueux.
Et quel chapeau fera plaisir à Monsieur le Comte ?
Une toque à plumet assortie au manteau. Je la ferai orner de bijoux.

Le roi achète de nombreux tableaux des maîtres italiens. Il fait venir de grands artistes, tel Léonard de Vinci.

Pendant trois ans, jusqu'à sa mort en 1519, Léonard de Vinci vit au Clos-Lucé, près d'Amboise.

Admiratif des palais italiens, lumineux et entourés d'élégants jardins, le roi se fait bâtisseur. Il entreprend l'embellissement et la construction de nombreuses demeures royales.
Pour les fenêtres, voyez grand !

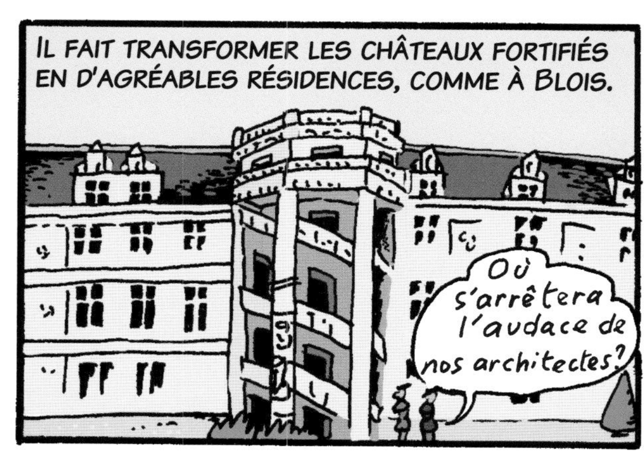
Il fait transformer les châteaux fortifiés en d'agréables résidences, comme à Blois.
Où s'arrêtera l'audace de nos architectes?

À Chambord, il crée un somptueux château, probablement imaginé par Léonard de Vinci.
440 pièces!
Et surtout une terrasse d'où la cour peut me voir partir à la chasse!

Le château de Fontainebleau est agrandi.
Venez voir la galerie au décor magnifique dû aux Italiens Rosso et le Primatice!
Ah, ces Italiens, ils sont forts!
Pourtant, notre art se détache du modèle italien.
On peut dire que c'est l'ART DE LA RENAISSANCE À LA FRANÇAISE!

François Ier protège aussi les écrivains tels Rabelais, Ronsard et Du Bellay, qui écrivent en français.
Mignonne, allons voir si la rose...

Pour qu'on garde la trace de leurs œuvres, il oblige les imprimeurs à fournir à la bibliothèque royale un exemplaire de chaque livre.
Voici le dernier Rabelais.
Ah! Je vais me régaler!

Le roi fonde le collège des Trois-Langues (latin, grec et hébreu) qui deviendra le Collège de France.
COLLÈGE DES III LANGUES
Quoi! On va devoir apprendre TROIS LANGUES au collège?
Pourquoi pas? Mais le formidable renouveau ne se limite pas aux arts et à la littérature.
Léonard de Vinci

Ce renouveau touche aussi le domaine des sciences et entraîne une profonde remise en cause des connaissances.
Avec sa barbe, Léonard te ressemble!

Hum! J'aimerais être aussi intelligent que lui. Cet artiste était aussi mathématicien, ingénieur, chimiste, géologue et opticien!

LES SCIENTIFIQUES DE CETTE ÉPOQUE VEULENT COMPRENDRE ET EXPLIQUER LE MONDE EN FAISANT DES EXPÉRIENCES.
Sans expérience, il n'est point de certitude!

LÉONARD DE VINCI IMAGINE TOUTES SORTES DE MACHINES : ÉCLUSE, CANON À VAPEUR, CHAR D'ASSAUT ET MÊME ORNITHOPTÈRE, L'ANCÊTRE DE L'AVION.
!!

IL S'INTÉRESSE À L'ANATOMIE DU CORPS HUMAIN ET PRATIQUE LA DISSECTION QUI EST INTERDITE PAR L'ÉGLISE.

ANDRÉ VÉSALE FAIT PROGRESSER LA MÉDECINE À PAS DE GÉANT. EN 1543, IL PUBLIE UN TRAITÉ D'ANATOMIE DE 700 PAGES !
Voyons... Si vous avez mal là, c'est le foie!
Traité d'anatomie

AMBROISE PARÉ MET AU POINT DES MÉTHODES NOUVELLES SUR LES CHAMPS DE BATAILLE.
Ne vous inquiétez pas : je vais vous amputer et ligaturer vos artères.

IL RÉDUIT LES FRACTURES ET AMÉLIORE LES PROTHÈSES. C'EST LE PÈRE DE LA CHIRURGIE MODERNE.
On croirait une vraie!
C'est déjà une main porte-outil...

L'ASTRONOMIE FAIT AUSSI UN BOND EN AVANT. NICOLAS COPERNIC OSE REMETTRE EN CAUSE CE QU'ON ADMET DEPUIS L'ANTIQUITÉ.

À CETTE ÉPOQUE, LE GREC PTOLÉMÉE AFFIRMAIT QUE LE SOLEIL, LA LUNE ET LES ÉTOILES TOURNENT AUTOUR DE LA TERRE, IMMOBILE AU CENTRE DU MONDE.

DANS SON TRAITÉ PUBLIÉ EN 1543, COPERNIC ÉMET L'IDÉE QUE LA TERRE N'EST PAS LE CENTRE DE L'UNIVERS. CETTE IDÉE EST REJETÉE PAR L'ÉGLISE.
Elle tourne sur elle-même, et autour du Soleil !
Sacrilège ! La Terre peuplée des créatures de Dieu est forcément au centre du monde !

POURTANT, LA THÉORIE DE COPERNIC FAIT SON CHEMIN. ELLE EST REPRISE ET DÉFENDUE PAR L'ALLEMAND KEPLER ET PAR L'ITALIEN GALILÉE AU DÉBUT DU XVIIe SIÈCLE.
Il avait raison !
Reste à le prouver !

EN FABRIQUANT SA PROPRE LUNETTE (1608), GALILÉE OBSERVE DIRECTEMENT LES ASTRES.
C'est sûr... Elle tourne !

L'ÉGLISE ET LA PAPAUTÉ S'OBSTINENT ET OBLIGENT GALILÉE À SE RÉTRACTER. IL EST CONDAMNÉ AU SILENCE JUSQU'À LA FIN DE SA VIE.
Compris ? Plus un mot !
Et pourtant elle tourne.
Qu'est-ce qu'il a dit ?

À LA MORT DE FRANÇOIS Ier, SON FILS HENRI II POURSUIT LA LUTTE CONTRE CHARLES QUINT.
Même âgé et malade, ce Charles Quint reste notre ennemi !
Son fils Philippe va lui succéder…

MAIS LA GUERRE ÉPUISE LA FRANCE. EN 1559, UN TRAITÉ DE PAIX EST ENFIN SIGNÉ À CATEAU-CAMBRÉSIS.
50 ans de guerre, c'est pas du gâteau !
Et si vous épousiez ma fille ?

PHILIPPE II D'ESPAGNE ÉPOUSE LA FILLE D'HENRI II. MAIS LES FÊTES DONNÉES À CETTE OCCASION À PARIS TOURNENT AU DRAME : LORS D'UN TOURNOI, LE ROI DE FRANCE EST MORTELLEMENT BLESSÉ. CETTE TRAGÉDIE A DE LOURDES CONSÉQUENCES.
Le roi ! Le roi !
Vite ! Allez chercher Ambroise Paré !
Nostradamus l'avait bien dit !
Montgomery, qu'as-tu fait ?
Aïe, aïe !
Le roi est blessé !

SON FILS, FRANÇOIS II, ÂGÉ DE 15 ANS, DE SANTÉ FRAGILE, LUI SUCCÈDE. IL EST À LA TÊTE D'UN PAYS OÙ LES PARTISANS DE LA RÉFORME SONT NOMBREUX.
Les Réformés ?

LES RÉFORMÉS SONT LES PRATIQUANTS D'UNE NOUVELLE RELIGION, VENUE D'ALLEMAGNE. LEUR CHEF, LE MOINE MARTIN LUTHER, S'OPPOSE AU PAPE ET DÉNONCE LES ABUS DE L'ÉGLISE CATHOLIQUE.
L'Église ne remplit plus sa mission de transmettre l'enseignement de Jésus-Christ !

Luther veut promouvoir une religion proche des fidèles. Le nouveau culte se tient dans des temples dépourvus de tout signe de richesse. Le protestantisme se répand en France grâce à Jean Calvin.
Ici, ni culte de la Vierge Marie ni des saints !
Bien sûr. Nous sommes des réformés !
Autrement dit, des protestants.
Des huguenots !

Les pays d'Europe choisissent leur camp.
En Angleterre nous sommes protestants !
Dans les pays du Nord aussi !
En Allemagne, nous sommes partagés...
Nous, les Espagnols, sommes farouchement catholiques !
Nous, les Italiens, nous sommes aussi catholiques !

En France, la situation est confuse. Le jeune François II meurt en 1560. Son frère lui succède : Charles IX n'a que dix ans.

Les chefs des grandes familles tentent d'exercer leur pouvoir. Mais ils s'opposent.
Nous, les Guise et les Montmorency, sommes CATHOLIQUES !
Nous, les Bourbons et les Coligny, sommes PROTESTANTS !

La jalousie et la haine les dressent les uns contre les autres.
L'Espagne nous soutient !
Les Anglais sont avec nous !

De 1560 à 1563, Catherine de Médicis, veuve d'Henri II, assure la régence.
Je vais gouverner pour toi !

Son rôle n'est pas aisé...
C'est une femme !
Avec un accent italien en plus !

À Wassy, le 1er mars 1562, un massacre de protestants fait basculer le royaume dans une guerre civile qui va durer près de quarante ans : les guerres de Religion.

Catherine de Médicis tente de rapprocher catholiques et protestants. Mais cette politique est un échec.

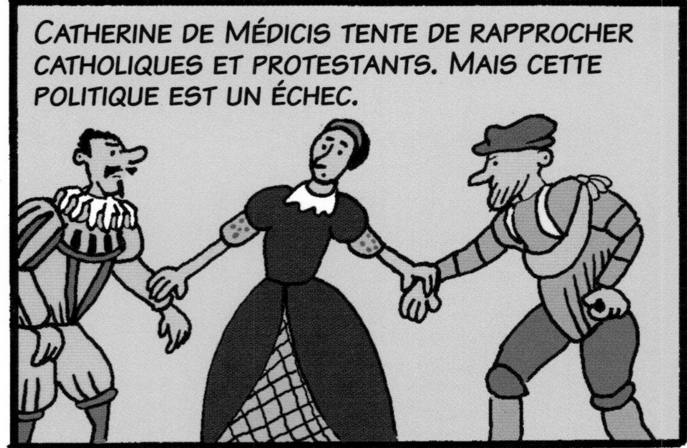

Influencée par le duc de Guise, elle persuade son fils Charles IX d'éliminer les chefs protestants venus à Paris pour le mariage de sa fille.

Le 24 août 1572, jour de la Saint-Barthélemy, a lieu le terrible massacre : 3 000 protestants sont tués à Paris.

Deux ans plus tard, Charles IX meurt. Son frère Henri III lui succède. Conseillé par sa mère et par ses favoris, le roi tente de nouvelles conciliations.

Mais il se heurte à l'ambition du duc de Guise qui rêve du trône de France ! Le roi le convoque à Blois.

Là, le 23 décembre 1588, il le fait assassiner.

Ce coup de force attise les haines. Pour venger son chef, la Ligue appelle au soulèvement général des catholiques.
Vive la Ligue !
À mort le roi !
À mort !

Il ne reste au roi qu'une solution : s'allier à son beau-frère et cousin, Henri de Navarre.
Si tu m'aides, Henri, tu seras mon héritier !
D'accord, Henri.

Mais le 1er août 1589, alors que les deux hommes s'apprêtent à assiéger Paris, tenu par la Ligue, un moine fanatique tue Henri III.
Méchant moine, tu m'as tué !

La situation est dramatique. La France n'a plus de roi. Le royaume est dévasté par les pillages. Les récoltes sont mauvaises et les épidémies guettent.

Henri III est mort sans héritier. La couronne revient donc à Henri de Navarre.
La lignée des Valois, qui règne depuis 1328, s'est éteinte…
Je serai donc Henri IV !

Cet Henri de Navarre, de la maison des Bourbons, est bien apparenté à la dynastie capétienne remontant à Saint Louis !
Mais il est protestant !

Un roi protestant ? Inacceptable !
Vive la Ligue !
Prenons les armes !
Duc de Mayenne, nous vous suivrons !

HENRI IV DOIT RECONQUÉRIR SON ROYAUME PAR LES ARMES. MAIS PARIS REFUSE DE LUI OUVRIR SES PORTES.

LES PAYS D'EUROPE S'EN MÊLENT. LA GUERRE S'ÉTERNISE. UNE GARNISON ESPAGNOLE S'INSTALLE À PARIS !
Je n'ai qu'une issue : me convertir au catholicisme.

LE 27 FÉVRIER 1594, HENRI IV EST SACRÉ À CHARTRES APRÈS AVOIR RENIÉ SA RELIGION PROTESTANTE. IL PEUT ALORS ENTRER TRIOMPHALEMENT DANS PARIS.
Paris vaut bien une messe.

LE PAYS EST TOUJOURS EN GUERRE. HENRI IV PARVIENT À BATTRE LES ESPAGNOLS ET SIGNE LA PAIX À VERVINS EN 1598.
Enfin, les Espagnols sont hors du royaume !

LA MÊME ANNÉE, LE 13 AVRIL, IL ASSURE LA PAIX INTÉRIEURE EN SIGNANT L'ÉDIT DE NANTES.
Le catholicisme est rétabli en tant que religion officielle. Aux protestants sont accordés la liberté de conscience et le droit de pratiquer leur culte dans des lieux précis. Leur sécurité pourra être assurée dans 51 villes comme : La Rochelle, Niort, Nîmes...

CE TEXTE MET FIN AUX GUERRES DE RELIGION. LE BILAN EST LOURD : DES MILLIERS DE MORTS, ET 300 000 PROTESTANTS QUI ONT QUITTÉ LA FRANCE.

HENRI IV S'ENTOURE DE CONSEILLERS COMPÉTENTS, TEL SULLY QU'IL NOMME DIRECTEUR DES FINANCES.
Sully, nous avons du pain sur la planche !

SULLY FAVORISE L'AGRICULTURE, L'INDUSTRIE ET LE COMMERCE. IL FONDE DES MANUFACTURES, FAIT ASSÉCHER DES RÉGIONS MARÉCAGEUSES POUR LES METTRE EN CULTURE.
Labourage et pâturage sont les deux mamelles de la France.

IL DÉVELOPPE L'INDUSTRIE TEXTILE, FAIT TRACER DES ROUTES ET CREUSER DES CANAUX.

LA FRANCE REDEVIENT PROSPÈRE ET LE « BON ROI HENRI » APPARAÎT COMME UN SOUVERAIN POPULAIRE SOUCIEUX DU BIEN DE SES SUJETS.
Je ferai qu'il n'y aura laboureur en mon royaume qui n'ait moyen, le dimanche, d'avoir poule au pot !

Ah oui ! Henri IV, le roi à la poule au pot !
Comment s'appelle le méchant qui…
Attendez !

EN 1600, HENRI IV ÉPOUSE EN SECONDES NOCES MARIE DE MÉDICIS QUI LUI DONNE SIX ENFANTS, DONT LE FUTUR LOUIS XIII.

PARIS RETROUVE SON RANG ET SON ÉCLAT. LE LOUVRE EST AGRANDI, LE PONT NEUF EST ACHEVÉ.
C'EST NON LOIN DE LÀ QUE…
RAVAILLAC ?
… LE 14 MAI 1610, RAVAILLAC, UN CATHOLIQUE FANATIQUE, ASSASSINE HENRI IV QUI LAISSE UN ROYAUME RÉUNIFIÉ ET PUISSANT.

L'ANCIEN RÉGIME

1624
Le cardinal de Richelieu entre au Conseil du roi Louis XIII.

1643
Mort de Louis XIII. Sa veuve Anne d'Autriche assure la régence.

1649
Pendant la Fronde, la cour doit s'enfuir de Paris.

1661
À la mort de Mazarin, Louis XIV décide d'exercer le pouvoir personnellement.

1670
Molière écrit et joue devant le roi *Le Bourgeois gentilhomme*.

1682
Le Roi-Soleil et sa cour s'installent au château de Versailles.

1715
Mort de Louis XIV, au terme d'un règne de cinquante-quatre ans.

1751
Parution du premier volume de *L'Encyclopédie*.

1774
Louis XVI succède à son grand-père Louis XV sur le trône de France.

1778
La France entre dans la guerre d'indépendance américaine.

1789 (5 mai)
Réunion des états généraux du royaume.

LOUIS XIII S'EN DÉBARRASSE BRUTALEMENT EN 1617, SIGNANT AINSI SON PREMIER ACTE DE ROI.

LE JEUNE ROI EST PASSIONNÉ DE MUSIQUE ET DE CHASSE... MAIS IL SAIT S'ENTOURER. IL REPÈRE LES COMPÉTENCES D'ARMAND DU PLESSIS, CARDINAL DE RICHELIEU.

* À Paris, ce palais accueille aujourd'hui les séances du Sénat de la République.

D'ABORD, LE CARDINAL DÉJOUE LES COMPLOTS DES NOBLES ET FAIT DÉTRUIRE PLUS DE 2000 CHÂTEAUX FORTS.
Mon joli château !
Joli, certes. Mais il aurait pu servir de place forte en cas de rébellion !

IL NOMME DES INTENDANTS QUI ONT TOUT POUVOIR POUR FAIRE APPLIQUER LES DÉCISIONS ROYALES.
Mais le parlement local dit que…
Et moi, je suis intendant de police, justice et finance ! Ordre du roi !

RICHELIEU INTERDIT MÊME LES DUELS, UN PRIVILÈGE DE LA NOBLESSE.
Au nom du roi, je vous arrête !
Si on ne peut même plus se tuer entre nous !

EN 1627, RICHELIEU ENTREPREND LE SIÈGE DE LA ROCHELLE, VILLE PROTESTANTE.
Ces gens-là développent le commerce avec l'Angleterre, pays protestant !

IL FAIT ÉDIFIER UNE DIGUE QUI BLOQUE TOUTE COMMUNICATION ENTRE LA VILLE ET LA MER. LA ROCHELLE RÉSISTE UN AN MAIS FINIT PAR SE RENDRE AUX TROUPES DU CARDINAL.

POURTANT, EN 1629, LOUIS XIII CONFIRME LA LIBERTÉ DE CULTE DES PROTESTANTS PAR L'ÉDIT DE GRÂCE D'ALÈS.
Edit d'Alès
C'est bien beau…
Mais nous sommes obligés de rendre nos places fortes !

ENFIN, RICHELIEU DÉCLARE LA GUERRE À L'ESPAGNE ET ENTRE DANS UN TERRIBLE CONFLIT : LA GUERRE DE TRENTE ANS.
Ces Habsbourg ! Cette famille règne sur l'Autriche, l'Espagne, Milan, Naples, les Pays-Bas et le Portugal.

* Les Immortels : surnom donné aux 40 membres de l'Académie française.

L'AUGMENTATION DES IMPÔTS DUE À LA GUERRE EST MAL ACCEPTÉE PAR LES PAYSANS QUI SE RÉVOLTENT DANS TOUTE LA FRANCE. EN 1639, LES CROQUANTS DU PÉRIGORD ET LES NU-PIEDS DE NORMANDIE SE DÉCHAÎNENT CONTRE LES RECEVEURS D'IMPÔTS.
Prends ça, toi qui nous saignes!

LA RÉPRESSION EST RUDE. LES TROUPES DU ROI ÉCRASENT LES RÉVOLTES POPULAIRES.

EN 1642, RICHELIEU MEURT.
On ne le pleurera pas!
N'empêche! Il laisse un État fort et un royaume puissant!

POUR LUI SUCCÉDER, LOUIS XIII APPELLE UN COLLABORATEUR DE RICHELIEU.
Giulio Mazarini.
Ici on vous appellera Mazarin.

EN 1643, LOUIS XIII MEURT À SON TOUR.
Il laissera le souvenir d'un roi scrupuleux, exigeant d'être informé de tout.
Oui, mais d'humeur morose.

LOUIS XIV N'A ALORS QUE CINQ ANS. SA MÈRE ANNE D'AUTRICHE ASSURE DONC LA RÉGENCE.
Tout comme Catherine, puis Marie de Médicis.

Louis XIV, ce ne serait pas le ROI-SOLEIL?
Oui! Et si nous sortions au jardin? Profitons un peu des rayons du soleil!

ANNE D'AUTRICHE CONSERVE MAZARIN COMME PRINCIPAL MINISTRE.
Éminence, je m'en remets à vous pour diriger les affaires du royaume.

CELUI QU'ON SURNOMME « L'ITALIEN » EST HABILE ET OBSTINÉ. ON LUI RECONNAÎT UNE GRANDE PUISSANCE DE TRAVAIL.

MAZARIN SE CHARGE DE L'ÉDUCATION DU JEUNE LOUIS. IL REMARQUE LES QUALITÉS DU FUTUR ROI.
Nous allons signer la paix en Westphalie, et ainsi mettre fin à la guerre de Trente ans.
Mais les Espagnols, parrain ?
Malin, le petit roi.

LA GUERRE AVEC L'ESPAGNE SE POURSUIT. ELLE OBLIGE À AUGMENTER LES IMPÔTS. LE MÉCONTENTEMENT GÉNÉRAL TOURNE À LA GUERRE CIVILE : C'EST LA FRONDE.
Dehors, L'Italien !
Mazarin nous met sur la paille !
À mort !

LE PARLEMENT DE PARIS ET LES NOBLES PRENNENT LA TÊTE DE LA RÉBELLION QUI S'ÉTEND À TOUTES LES PROVINCES. LES ARMÉES RAVAGENT LES CAMPAGNES, PARIS SE HÉRISSE DE BARRICADES !

EN JANVIER 1649, LA COUR ET LE JEUNE ROI S'ENFUIENT DE PARIS EN PLEINE NUIT.
Au château de Saint Germain-en-Laye, vite !

MAZARIN EST AU COMBLE DE L'IMPOPULARITÉ. DES ÉCRITS INSULTANTS CIRCULENT : LES « MAZARINADES ».
Lis celle-ci !
Tu as vu celle-là sur son goût de l'argent ?

* No entiendo : je ne comprends pas. Marie-Thérèse ne parle pas un mot de français.

À LA TÊTE DU PAYS LE PLUS PEUPLÉ D'EUROPE (20 MILLIONS D'HABITANTS), LOUIS XIV RÉUNIT TOUS LES POUVOIRS ENTRE SES MAINS. IL RÉDUIT À NÉANT LES PRÉTENTIONS DES PARLEMENTS.

AUX PERSONNAGES DE HAUT RANG, IL PRÉFÈRE DES MINISTRES D'ORIGINE MODESTE: COLBERT, LE TELLIER, LOUVOIS OU VAUBAN.

Colbert, comment pouvons-nous développer le commerce?

J'ai plusieurs idées, Sire.

Des manufactures voient le jour: Saint-Gobain pour les miroirs, les Gobelins pour la tapisserie, Abbeville pour les draps.

En 1661, la cour est encore nomade. Elle circule avec le roi entre le Louvre et les Tuileries à Paris, le fort de Vincennes, les châteaux de Saint-Germain-en-Laye et Fontainebleau...
Où va-t-on maintenant ? À Vincennes ou à Fontainebleau ?

À partir de 1682, la cour s'installe à Versailles. Nombreuse, elle devient un instrument entre les mains du roi.
Dorine, trouvez ma plus belle robe : je dois voir le roi ce soir !

Cloîtrés dans une cage dorée, les nobles attendent du roi honneurs, pensions et privilèges.
La marquise doit avoir quelque chose d'important à demander au roi...

Lors des grandes fêtes du début de règne, Louis XIV monte lui-même sur scène pour danser des ballets.

En juin 1662, le roi a un fils.
En l'honneur de la naissance du Dauphin, je vais faire donner un fabuleux spectacle équestre !
Je me déguiserai en soleil.

Ce carrousel se déroule entre le Louvre et les Tuileries. Le roi apparaît dans un costume représentant le soleil. Désormais, son règne se poursuit sous cet emblème.
Qu'en pensez-vous, Colbert ?
Éblouissant, Sire !

Versailles sera le centre de notre royaume, je le veux !
À PARTIR DE 1661, LOUIS XIV DÉCIDE DE MODIFIER LE PAVILLON DE CHASSE DE SON PÈRE. LE NOUVEAU CHÂTEAU QUI VA DEVENIR SA RÉSIDENCE PRINCIPALE ATTEINT LA DÉMESURE.

DE 1668 À 1673, LES ARCHITECTES LOUIS LE VAU ET FRANÇOIS D'ORBAY LANCENT LES TRAVAUX.
À PARTIR DE 1678, MANSART POURSUIT LES TRAVAUX. IL TRIPLE LA TAILLE DU PALAIS EN ÉDIFIANT LES AILES DU MIDI ET DU NORD.
Je veux une armée de tapissiers, d'orfèvres, de sculpteurs...
Les peintres et les miroitiers sont au travail..
Dans ce qui sera le chef-d'œuvre : la Grande Galerie.
aile du Midi
cour royale
aile du Nord
Château de Louis XIII
agrandissements par Le Vau (1661.1674)
aile des ministres
agrandissements par Mansart (1678-1708)
aile des ministres

LA GRANDE GALERIE (OU GALERIE DES GLACES) EST COUVERTE DE MARBRE ET DE 400 MIROIRS.
Et cette voûte peinte par Charles Le Brun !
Elle célèbre les vertus du règne de Louis !
Devant le roi, tu enlèveras ton chapeau ! Respecte l'etiquette !

LE BÂTIMENT EST UN MODÈLE D'ARCHITECTURE CLASSIQUE. LA FAÇADE CÔTÉ JARDIN MESURE 550 M.
Un superbe palais où se mêlent grâce et majesté.
À votre image, Sire !
Larbin !

LE CHÂTEAU DE VERSAILLES EST MIS EN VALEUR PAR UN VASTE JARDIN AMÉNAGÉ PAR ANDRÉ LE NÔTRE. BOSQUETS, PARTERRES FLEURIS, MASSIFS D'ARBRES ET BASSINS CONSTITUENT LE MODÈLE DU « JARDIN À LA FRANÇAISE ».

LE PALAIS EST LE CADRE QUOTIDIEN DU ROI DONT LES JOURNÉES BIEN RÉGLÉES SE DÉROULENT COMME UNE PIÈCE DE THÉÂTRE.

8 H LE MÉDECIN ET LE CHIRURGIEN DU ROI ENTRENT DANS SA CHAMBRE.

8 H15 LE PETIT LEVER EST RÉSERVÉ À LA FAMILLE ROYALE. PUIS C'EST LE GRAND LEVER, AUQUEL ASSISTENT DES COURTISANS TRIÉS AVEC SOIN.

LOUIS XIV CHOISIT SA PERRUQUE ET FINIT DE SE FAIRE HABILLER. D'AUTRES COURTISANS SONT ADMIS DANS LA CHAMBRE.

9 H30 LE ROI TRAVERSE LA GALERIE DES GLACES POUR SE RENDRE À LA MESSE. CHACUN ESSAIE D'ÊTRE VU PAR LE MONARQUE.

10 H30 LE ROI RÉUNIT SES MINISTRES DANS SON CABINET POUR TRAITER DES AFFAIRES DU ROYAUME.

12 H 30 C'EST L'EMBOUTEILLAGE DANS LA GALERIE DES GLACES. TOUT LE MONDE PEUT ENTRER À CONDITION, POUR LES HOMMES, DE PORTER UN CHAPEAU ET UNE ÉPÉE...

13 H LOUIS XIV DÉJEUNE SEUL, D'UNE VINGTAINE DE PLATS ! IL MANGE GOULÛMENT AVEC SES DOIGTS.

14 H IL SE PROMÈNE DANS LES JARDINS OU PART CHASSER AVEC DES COURTISANS.
Joli coup !

19 H TROIS FOIS PAR SEMAINE, IL Y A APPARTEMENT. QUE L'ON S'AMUSE, LE ROI L'A ORDONNÉ !
Votre mari n'est pas là ?
Il joue au billard avec le roi...
Avec le roi !

Sire, comme votre tir est juste !
Magnifique !

22 H LE ROI SE RETIRE POUR LE SOUPER AVEC SA FAMILLE.
23 H IL REJOINT SA CHAMBRE POUR LE GRAND ET LE PETIT COUCHER.
LA COUR PEUT ENFIN ALLER SE REPOSER !
Ouf !
Qu'est-ce qu'on fait demain ?
La même chose.

CES GUERRES MEURTRIÈRES ONT POUR BUT D'AGRANDIR LE TERRITOIRE. LES SOLDATS SONT TIRÉS AU SORT DANS CHAQUE PAROISSE.

POUR COMBLER LES DÉFICITS DE L'ÉTAT, ON LÈVE DE NOUVELLES TAXES. CELA PROVOQUE UNE SÉRIE DE RÉVOLTES PAYSANNES.

À bas les impôts !

Les protestants sont une autre cible. L'existence de leur religion n'est pas admise par Louis XIV.
Deux religions pour un seul royaume : c'est inadmissible !
Pourtant l'Édit de Nantes a rendu la religion protestante officielle !

À partir de 1679, les protestants sont persécutés. Ils sont exclus des emplois publics et des professions libérales.
Vous êtes protestant, et vous voudriez être médecin ?

Des soldats du roi (les dragons), logés chez eux, les forcent à se convertir. Ce sont les « dragonnades ».
Répète : « Je vous salue Marie... »

En 1685, cette politique aboutit à la révocation de l'Édit de Nantes. Le culte protestant est interdit.

200 000 protestants prennent le chemin de l'exil vers l'Allemagne et les Pays-Bas.

D'autres restent et pratiquent leur culte en secret. S'ils sont pris, c'est la prison ou les galères.
Allez, huguenots ! Ramez !

Dans les Cévennes, ceux qu'on appelle les camisards mènent une guerre d'embuscade. Ils tentent en vain de tenir tête aux troupes du roi. Une trentaine de villages sont rasés.

RÉGULIÈREMENT, DES « CRISES DE SUBSISTANCE » FRAPPENT LE PEUPLE.
Votre pain est bien cher!
La famine nous guette!
La faute aux mauvaises récoltes, hélas!

DE TERRIBLES HIVERS SUIVIS D'ÉTÉS PLUVIEUX: LE PETIT ÂGE GLACIAIRE SÉVIT EN EUROPE.
Ça alors! Le fleuve est gelé!
Je n'ai jamais vu ça!

LA FAMINE EST DUREMENT RESSENTIE. ON CRITIQUE L'INJUSTICE, CAR ELLE ÉPARGNE LES RICHES.
Mange qui peut payer! Ce n'est pas juste!
Fermez la fenêtre, mon bon.

EN CONSÉQUENCE, LA POPULATION FRANÇAISE N'AUGMENTE PAS. EN 1700, ON COMPTE 20 MILLIONS D'HABITANTS, À PEINE PLUS QU'EN 1600.

FAMINES, MISÈRE, GUERRES, CAISSES VIDES... À PARTIR DE 1695, DES VOIX S'ÉLÈVENT POUR CRITIQUER LA POLITIQUE DU ROI.
Le royaume est au bord du gouffre!
Oui! Il faut agir!

MAIS LE ROI-SOLEIL, HABITUÉ À ÊTRE OBÉI, NE VEUT RIEN ENTENDRE.
De quoi se mêlent-ils?

LOUIS XIV SE RETRANCHE DANS LE MONDE CLOS DE VERSAILLES, PRÈS DE MADAME DE MAINTENON QU'IL A ÉPOUSÉE EN SECRET.

LA REINE MARIE-THÉRÈSE LUI A DONNÉ SIX ENFANTS. UN SEUL ATTEINT L'ÂGE ADULTE: LOUIS DE FRANCE, DIT LE « GRAND DAUPHIN ».
Voilà Monseigneur!
Qui?
Le Grand Dauphin!

La fin de la vie de Louis XIV est marquée par des deuils répétés. En 1711, l'héritier du trône, le Grand Dauphin, meurt.
Hélas, Sire...

En 1712 et 1714, ce sont trois autres de ses petits-enfants qui disparaissent, dont le nouveau dauphin, le duc de Berry.
Encore une mauvaise nouvelle, Sire...

Le dernier héritier mâle est son arrière-petit-fils, un enfant de cinq ans.
Hum... Sire. Je crains que ce ne soit... la gangrène.

En 1715, Louis XIV meurt à l'âge de 77 ans.
Le roi n'est plus!

Après 54 ans de règne, le Roi-Soleil laisse une France agrandie du Roussillon, de l'Artois, de la Flandre et de la Franche-Comté. Mais la dette est multipliée par dix, le déficit énorme et la misère du peuple effroyable. Peu de gens pleurent sa mort, même si son appétit de gloire a favorisé le prestige de la France.
Il nous reste Versailles...
Et ce n'est pas rien: on en parle dans toute l'Europe!
Avec ce que ça nous a coûté...

Et si nous rentrions, maintenant que le soleil est couché ?
Le nouveau roi, c'est Louis XV ?
Pas tout de suite ! Le nouveau règne débute par une régence assurée par Philippe d'Orléans, un des neveux de Louis XIV...
CE PRINCE AIME LA FÊTE ET RÉAGIT CONTRE L'AUSTÉRITÉ IMPOSÉE PAR Mme DE MAINTENON.

LE RÉGENT DÉLAISSE VERSAILLES POUR PARIS. DU PALAIS-ROYAL OÙ IL HABITE, IL VEILLE SUR LE JEUNE ROI.
Allons nous amuser à Paris !
À Paris !

LES CAISSES DU ROYAUME SONT VIDES ! POUR LES RENFLOUER, LE RÉGENT FAIT APPEL AU BANQUIER ÉCOSSAIS JOHN LAW.
Je n'ai plus un louis !
J'ai une idée !

LAW PROPOSE DE CRÉER UNE MONNAIE DE PAPIER ET D'OUVRIR À PARIS UNE BANQUE OÙ L'ON ÉCHANGERA DES BILLETS CONTRE DES PIÈCES.
500

MAIS EN 1720, C'EST LA PANIQUE : CHACUN VEUT SE DÉBARRASSER DE SES BILLETS. C'EST LA BANQUEROUTE, LES GENS SONT RUINÉS.
On veut des pièces !
BANQUE
De la monnaie sonnante et trébuchante !
Voleurs !

1723 : À LA MORT DU RÉGENT, LOUIS XV A 13 ANS. SON CARACTÈRE TIMIDE LE POUSSE À CONFIER LE POUVOIR À SES MINISTRES.
Messieurs, vous gouvernerez pour moi.

VINGT ANS PLUS TARD, LE ROYAUME EST REDEVENU PROSPÈRE. LOUIS XV, SURNOMMÉ « LE BIEN-AIMÉ », DÉCIDE DE GOUVERNER.
Désormais je gouvernerai seul !

Louis XV est marié avec Marie Leszczynska, la fille du roi de Pologne, qui lui donne dix enfants.
La cour se réinstalle à Versailles.
La cour va briller à nouveau !
Et les enfants pourront jouer dans le jardin !

Douce et effacée, la reine a des rivales comme la marquise de Pompadour ou la duchesse de Châteauroux.
Je suis la reine !
Et moi, la favorite !
Moi aussi, je suis la favorite !

Comme son prédécesseur, Louis XV fait l'erreur de s'engager dans des guerres. D'abord celle de la Succession d'Autriche...
Allons, soldats, partons à la guerre !

... puis la guerre de Sept Ans. Deux conflits désastreux malgré la belle victoire de Fontenoy en 1745.
Messieurs des gardes françaises, tirez !
Messieurs, après vous, tirez les premiers !

Vaincue par l'Angleterre et la Prusse, la France doit abandonner nombre de ses colonies.
Nous avons perdu le Canada, une partie de la Louisiane, et nos comptoirs en Inde...

Pourtant, le royaume s'agrandit.
Par son mariage, Louis XV récupère la Lorraine, puis la Corse qu'il achète aux Génois en 1768.
Et la Corse, vous la faites à combien ?

Fasciné par l'exploration de l'océan Pacifique, Louis XV met sur pied l'expédition dirigée par Bougainville qui fait escale à Tahiti en 1768.

Au cours du XVIII e siècle, la France se transforme. La vie est meilleure, le prestige du pays est exceptionnel... et surtout, on mange mieux!
Au fait, qu'est-ce qu'on mange?
Je vais vous faire un pot-au-feu. Aidez-moi à éplucher les légumes!
!
L'ÉLEVAGE SE DÉVELOPPE.
Tes vaches se portent bien!
C'est grâce aux nouvelles plantes fourragères que j'ai semées: trèfle et luzerne.
J'ai moins de friches et en plus, le fumier que me donne le bétail fait un excellent engrais!
Comment va ta famille?
Les enfants se portent mieux depuis que nous mangeons à notre faim!
C'est vrai que les famines s'éloignent et qu'il y a moins d'épidémie.
Moi, je vais pouvoir mieux faire circuler mes marchandises quand ce canal sera creusé.
Nous aurons bientôt un véritable réseau de voies navigables!
Et sur cette route pavée, ça va rouler!
Les Ponts et Chaussées tissent leur toile sur tout le royaume!
LA FRANCE POSSÈDE LES PLUS BELLES ROUTES D'EUROPE. LA VITESSE DES TRANSPORTS S'EST AMÉLIORÉE. EN 1780, IL NE FAUT PLUS QUE 6 JOURS POUR ALLER DE PARIS À BORDEAUX, 8 JOURS POUR MARSEILLE.
Je suis allé à Rennes en trois jours!
Quelle rapidité! Tu es sûr que c'est prudent?
Ne va pas verser dans un fossé!

* *De nos jours, cette immense place ornée d'un obélisque se nomme place de la Concorde.*

DANS L'EUROPE ENTIÈRE, LA LANGUE FRANÇAISE S'IMPOSE COMME LA LANGUE DES GENS CULTIVÉS.
Prenez place, Madame !
What ?
You don't speak french ?

LES AUTEURS FRANÇAIS SONT LUS AVEC PASSION.
« ... Apprenez que tout flatteur vit aux dépens de celui qui l'écoute. Cette leçon vaut bien un fromage sans doute »
Ah, ah, ah ! So funny.
La Fontaine

LES PHILOSOPHES FRANÇAIS SONT TRÈS DEMANDÉS ! VOLTAIRE CORRESPOND AVEC LE ROI DE PRUSSE, FRÉDÉRIC II, QUI L'INVITE À BERLIN.
Ach ! Mon cher Foltaire !

DIDEROT EST REÇU EN RUSSIE PAR L'IMPÉRATRICE CATHERINE II. ROUSSEAU PARCOURT L'EUROPE À PIED.
J'écrirai les rêveries du promeneur solitaire...

EN FRANCE, CES IDÉES NOUVELLES PROVOQUENT DES DÉBATS PASSIONNÉS. ON MET EN AVANT LA RAISON ET L'ESPRIT CRITIQUE.
Et moi je dis, comme Montesquieu : « La liberté est le droit de faire ce que les lois permettent ! »
Ça dépend de qui fait la loi !

PAR LEUR FAÇON DE PENSER, LES PHILOSOPHES ESPÈRENT APPORTER UN ÉCLAIRAGE NOUVEAU. D'OÙ L'EXPRESSION : « HOMMES DES LUMIÈRES ».
MONTESQUIEU
VOLTAIRE
DIDEROT
D'ALEMBERT

AU NOM DE LA RAISON, LES PHILOSOPHES CRITIQUENT LA RELIGION, LE POUVOIR ABSOLU DES ROIS ET LA SOCIÉTÉ QUI PRIVILÉGIE LES PUISSANTS. ILS DÉFENDENT LA LIBERTÉ INDIVIDUELLE, LA LIBERTÉ DE PENSER ET LA LIBERTÉ D'ENTREPRENDRE.
Plus d'emprisonnement selon le bon plaisir du roi !
Plus de torture !
Liberté de prier comme on le veut !
Ou de ne pas prier du tout !

LA NOTION D'ÉGALITÉ PREND DE L'IMPORTANCE.
Et enfin, il n'y a pas de liberté...
Si les hommes ne sont pas égaux devant la loi !

CES IDÉES SONT EXPOSÉES DANS L'ENCYCLOPÉDIE, UN OUVRAGE DE 35 VOLUMES ÉCRIT SOUS LA DIRECTION DE DIDEROT ET D'ALEMBERT.
Nous venons livrer la marquise de Pompadour...
Ça a l'air lourd ! Passez donc par là !

ACHEVÉE EN 1780, L'ENCYCLOPÉDIE A L'AMBITION DE RASSEMBLER TOUTES LES CONNAISSANCES.
C'est normal que ça pèse : il y a tout là-dedans : métiers, techniques, sciences et idées !

LOUIS XV S'OPPOSE D'ABORD À SA PUBLICATION. MAIS Mme DE POMPADOUR PERMET À L'OUVRAGE D'ÊTRE DIFFUSÉ.
Vous avez raison, mon amie : ce serait dommage d'interdire ce travail colossal.

CEPENDANT, D'AUTRES OUVRAGES DES PHILOSOPHES OU D'HOMMES DE THÉÂTRE SONT INTERDITS. DIDEROT FAIT DE LA PRISON, ROUSSEAU PART EN ANGLETERRE. VOLTAIRE S'INSTALLE À FERNEY, PRÈS DE LA FRONTIÈRE SUISSE.
En cas de problème avec la monarchie, je file chez les Helvètes !

LES IDÉES DES LUMIÈRES PASSIONNENT. ELLES SE RÉPANDENT VITE GRÂCE AUX LIVRES, AUX SALONS MONDAINS ET AUX CONVERSATIONS.
CAFÉ
Avez-vous lu le « CONTRAT SOCIAL » de Rousseau ?
Oui. Venez en parler !

DANS LES CAFÉS, MARCHANDS, FABRICANTS, AVOCATS, BOURGEOIS DISCUTENT AVEC FERVEUR...
Liberté, égalité...
Un jour, ces idées seront appliquées !
Tu es sûr que tu n'as pas trop bu ?

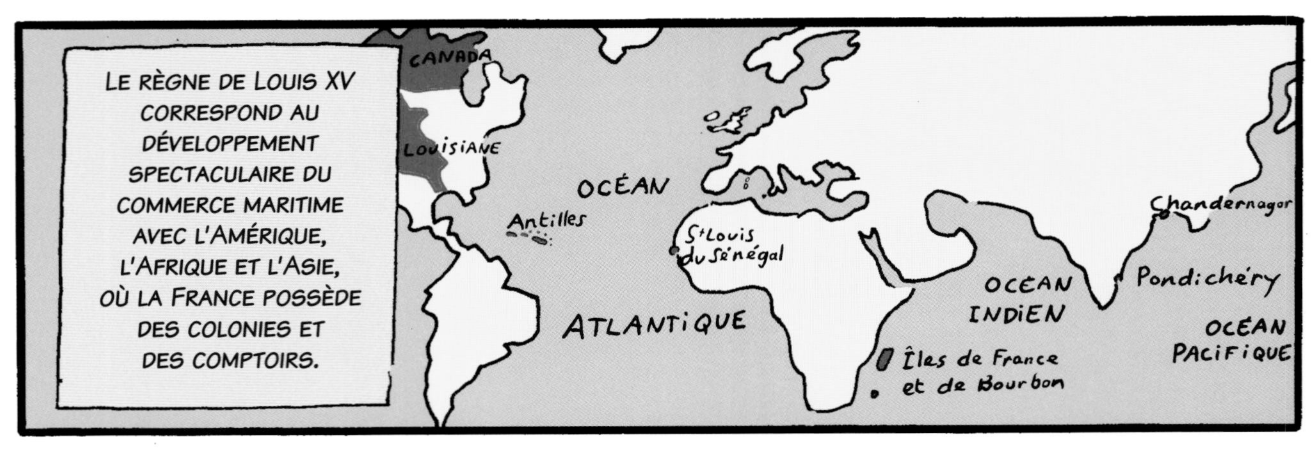
Le règne de Louis XV correspond au développement spectaculaire du commerce maritime avec l'Amérique, l'Afrique et l'Asie, où la France possède des colonies et des comptoirs.
CANADA
LOUISIANE
OCÉAN
ATLANTIQUE
Antilles
St Louis du Sénégal
OCEAN INDIEN
Îles de France et de Bourbon
Chandernagor
Pondichéry
OCÉAN PACIFIQUE

Un système dit « exclusif » réserve à la métropole le commerce de ses colonies qui ont l'obligation de passer par elle.
Combien ?
Désolé, je ne vends pas ici : tout part en France.

Ce grand commerce fait la richesse des marchands à Bordeaux, Nantes, Marseille, Le Havre ou Saint-Malo.

Ces ports prospèrent : belles places, belles avenues, belles demeures...
La maison de ce marchand sera magnifique !
On voit qu'il gagne des sous.

Le commerce atlantique repose en partie sur la culture de la canne à sucre, qui exige une main-d'œuvre nombreuse.

L'arrivée des Européens ayant causé la quasi-disparition des habitants des îles, les colons font venir des esclaves d'Afrique. Commencée au XVIe siècle, la traite des Noirs s'intensifie au XVIIIe siècle. Près de six millions d'individus sont déportés.
Voilà de la main-d'œuvre résistante !

* Voltaire (dans son conte philosophique **Candide**, 1759).

LOUIS XVI A 20 ANS QUAND IL SUCCÈDE À SON GRAND-PÈRE. EN 1770, IL A ÉPOUSÉ MARIE-ANTOINETTE D'AUTRICHE, RÉCONCILIANT LA FRANCE AVEC LA FAMILLE DES HABSBOURG. IL HÉRITE D'UN ROYAUME PUISSANT, MAIS DONT L'ADMINISTRATION ET LES FINANCES SONT MAL EN POINT.
Nous sommes trop jeunes pour régner.
Et en plus ce pays ressemble à ce puzzle : tout est divisé, morcelé, la société est bloquée.
Il faudrait que je fasse des réformes ?

LA FRANCE MANQUE D'UNITÉ. LA JUSTICE N'EST PAS LA MÊME PARTOUT : ELLE EST RENDUE PAR LE ROI, PAR LE SEIGNEUR OU PAR L'ÉGLISE.
Selon la justice royale, je suis innocent !
Ce n'est pas l'avis du seigneur.
Ni du curé !

LES POIDS ET LES MESURES SONT DIFFÉRENTS D'UN MÉTIER OU D'UNE PROVINCE À L'AUTRE !
Il vaut combien, le setier chez toi ?
Pas lourd, par rapport à nos voisins de la vallée.

Et la gabelle, tu la payes combien ?
Beaucoup trop cher. D'ailleurs, entre nous, je ne la paye plus !

LE HAUT CLERGÉ ET LES NOBLES NE PAYENT PAS D'IMPÔTS. LES PRIVILÉGIÉS PLACENT LEURS ENFANTS AUX BONS POSTES.
Éminence, je vous présente mon fils. Vous qui connaissez le ministre, vous pourriez...

OUVERTE AUX IDÉES NOUVELLES, LA BOURGEOISIE N'ACCEPTE PLUS D'ÊTRE MISE À L'ÉCART DES DÉCISIONS POLITIQUES.
C'est nous qui enrichissons le pays, et on ne nous écoute pas !
Ils ne travaillent pas, ils ne payent pas d'impôts... Il faut que ça cesse !

LES PAYSANS FORMENT 80 % DE LA POPULATION ET PAYENT PRESQUE TOUT L'IMPÔT.
On est les moins riches et c'est nous qui payons !
Payer !
Encore payer !

Dans ce contexte, des réformes s'imposent. Mais Louis XVI, faible et indécis, laisse faire son entourage.
Sire, la Reine vous demande.
Pas moyen de bricoler tranquille.

Des ministres comme Turgot ou Necker proposent des réformes courageuses. Mais ils sont renvoyés l'un après l'autre.
Mon bon Turgot, il faut que je vous dise... Vous êtes remercié...
?!

La reine est très dépensière. Marie-Antoinette aime la fête, les bijoux et les robes somptueuses. Elle parie des sommes énormes au jeu.
Je mise tout sur l'as!
Elle perd la tête!

À partir de 1778, le roi décide de soutenir la guerre d'Indépendance américaine contre les Anglais.
Sire, il faut aider les Américains!
Décidément, pas moyen de bricoler...

À la suite du marquis de La Fayette, 6 000 hommes sont envoyés en Amérique, ainsi qu'une flotte. Vaincue, l'Angleterre doit signer un traité en 1783 où elle reconnaît l'indépendance des États-Unis.
En Amérique!

La nation américaine sera toujours reconnaissante à la France de l'avoir aidée.
Vous nous resterez toujours très chers!
Et nous, ça nous a coûté très cher!

Les finances sont encore mises à mal par l'expédition maritime que Louis XVI confie à La Pérouse.
Il faut poursuivre l'exploration du Pacifique commencée par Bougainville!

* États généraux : assemblée de députés représentant les trois ordres du royaume : clergé, noblesse et tiers état.

LES ÉTATS GÉNÉRAUX SONT CONVOQUÉS LE 1er MAI 1789
Le Roi
Pas trop tôt !
Les états généraux : une institution qui date du Moyen Âge...
Le roi ne les a pas convoqués depuis 1610
Alors qu'il doit le faire en cas de difficulté !

Et des difficultés, il y en a !
Le prix du blé baisse...
Celui du vin aussi.
Toujours le même travail pour moins d'argent !

LES PROPRIÉTAIRES RENFORCENT LEURS DROITS SEIGNEURIAUX POUR FAIRE PAYER DAVANTAGE LES PAYSANS.
Je vais aller chercher du travail en ville...
Mon pauvre ami, là-bas c'est le chômage !

DANS LES VILLES AUSSI, LA MISÈRE EST GRANDE. LE PEUPLE EST VICTIME DU CHÔMAGE EN RAISON D'UN TRAITÉ DE COMMERCE CONCLU AVEC L'ANGLETERRE QUI REND LES MARCHANDISES DE CE PAYS MOINS CHÈRES.
FABRIQUE DE
On n'embauche pas !
Forcément ! Avec ces produits anglais si bon marché, on ne fabrique plus rien chez nous !

ENFIN S'AJOUTE UNE GRAVE CRISE DE SUBSISTANCE DUE AUX MAUVAISES CONDITIONS CLIMATIQUES.
BOULANGERIE
PLUS DE PAIN

Pluies et inondations en 1787, hiver glacial en 1788-1789. Les fleuves gèlent, les températures descendent jusqu'à -25° !
Brrr !
Aïe !
Mangeons pendant que c'est chaud !

* Doléances : réclamations, revendications.

Ces cahiers sont apportés au roi par les députés qui se rendent aux États généraux.
J'espère que le roi lira ce que j'ai fait écrire.
Moi aussi : plus de dîme au curé, plus de droits au seigneur !
Et vous, qu'avez-vous écrit, Monsieur le marquis ?
Il faut que nous partagions le pouvoir avec le roi, que nos privilèges soient maintenus même si, hélas, nous devons nous résigner à payer des impôts…

Animés par l'espoir de réformes profondes, les députés arrivent à Versailles à partir de la mi-avril 1789. À tour de rôle, ils viennent s'incliner devant le roi sans que celui-ci ne dise un mot.
Au suivant !

Le 4 mai se tient une grande procession qui montre l'inégalité des trois ordres.
Vois les habits brodés d'or des nobles !
Alors que ceux des députés du tiers état sont bien sombres !
Le 5 mai, Louis XVI ouvre enfin la séance. Il précise que lui seul décidera de ce qui sera débattu. Pas un mot sur les doléances ni sur les réformes !
Ma parole, il se moque de nous !
Il va se mettre le peuple à dos !

Personne ne le sait encore, mais la révolution est en marche !
Ça va chauffer !
Mangez, vous allez avoir besoin de forces pour demain !
Demain, on est bien le 14 juillet ?

LA FRANCE À L'AVÈNEMENT DE HUGUES CAPET (987)

ROYAUME D'ANGLETERRE
FLANDRE
Montreuil
DUCHÉ DE BASSE-LORRAINE
Cologne
Trèves
Mayence
COMTÉ DE PONTHIEU
COMTÉ DE VERMANDOIS
Attigny
Rouen
Compiègne
Reims
Strasbourg
DUCHÉ DE NORMANDIE
COMTÉ DE CHAMPAGNE
Paris
DUCHÉ DE HAUTE-LORRAINE
COMTÉ DE BRETAGNE
Rennes
MAINE
ANJOU
Orléans
Troyes
Dijon
Besançon
DUCHÉ DE BOURGOGNE
COMTÉ DE BOURGOGNE
Bourges
Poitiers
Clermont
Lyon
DUCHÉ D'AQUITAINE
ROYAUME DE BOURGOGNE
Bordeaux
COMTÉ DE TOULOUSE
DUCHÉ DE GASCOGNE
Toulouse
Arles
Aix
GOTHIE
Narbonne
ROYAUME DE NAVARRE
ROYAUME D'ARAGON
COMTÉ DE BARCELONE

LE DOMAINE ROYAL À LA FIN DU Xe SIÈCLE

LA FORMATION DE LA FRANCE

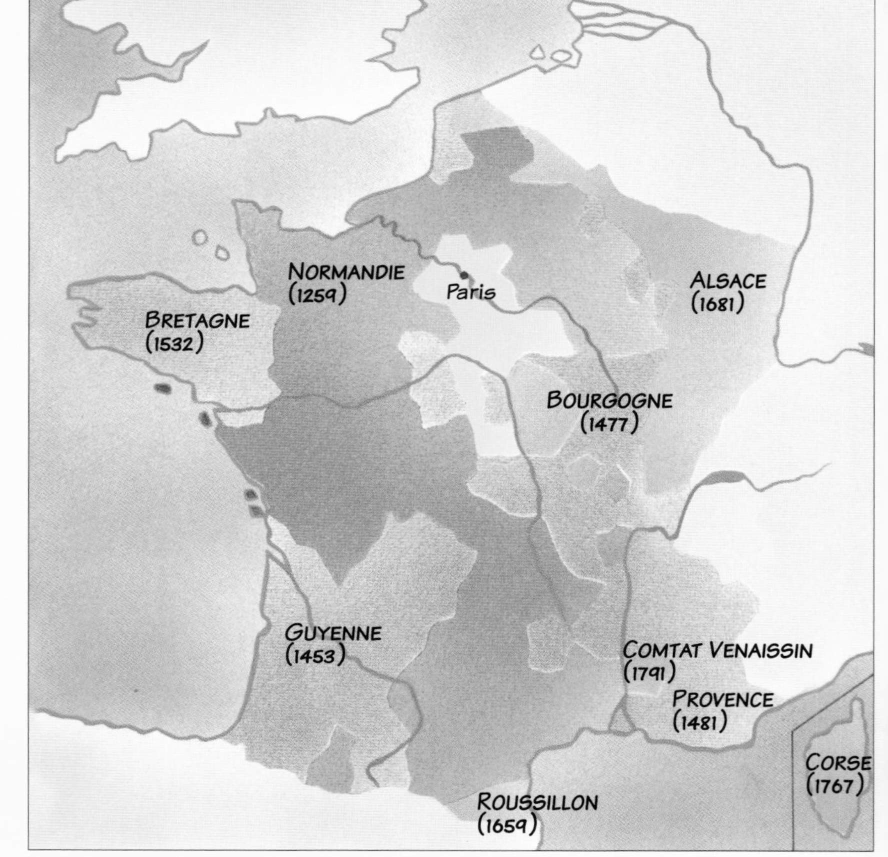

DOMAINE ROYAL DES CAPÉTIENS DE 987 À 1180

EXTENSION DU DOMAINE ROYAL DE 1180 À 1328

EXTENSION DU ROYAUME DE FRANCE DE LA GUERRE DE CENT ANS À LA MORT D'HENRI IV

EXTENSION DE 1610 À LA RÉVOLUTION

LA FRANCE À LA VEILLE DE LA RÉVOLUTION

ANGLETERRE
MANCHE
Flandres
Artois
Picardie
ALLEMAGNE
Normandie
Ile-de-France
Lorraine
Alsace
Champagne
Bretagne
Maine
Orléanais
Franche-Comté
Anjou
Touraine
Nivernais
Bourgogne
Berry
Poitou
Bourbonnais
SUISSE
Aunis
Marche
Lyonnais
OCÉAN ATLANTIQUE
Saintonge
Limousin
Auvergne
Dauphiné
ITALIE
Guyenne
Comtat Venaissin
Provence
Languedoc
Béarn
MER MÉDITERRANÉE
Foix
Roussillon
Corse
ESPAGNE

PRINCIPAUX LIEUX CITÉS DANS CE LIVRE

Index des principaux noms de lieux et de personnes